Les ham[...]
ne brillent pas
dans le noir

Texte : Trina Wiebe

Illustrations :
Marisol Sarrazin

Adaptation française :
Manon Lorange

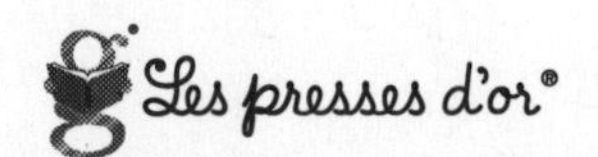

À mes grands-parents, Lorne et Hazel Fletcher.
Que l'eau soit toujours calme et les poissons,
toujours affamés.

Les hamsters ne brillent pas dans le noir.
Inspiré de la série *Abby and Tess Pet-Sitters*™,
conçue par Lobster Press™

10, rue Notre-Dame, bureau 300, Repentigny (Québec)
Canada J6A 2N9

Cliquez-nous à www.lespressesdor.com

Dépôt légal : 2e trimestre 2001.

Isbn : 1-552253-91-0.

Imprimé au Canada.

Table des matières

1 Mission impossible

–Tu ne le trouves pas adorable ? demande Abby à son amie Rachel.

Elle passe son doigt à travers les barreaux de la cage et essaie de caresser la boule de poils bruns. Il est tout rond et tellement mignon.

–À ta place, je ferais attention, l'avertit Rachel. M. Nibbles porte bien son nom : il grignote tout ce qu'il voit.

Abby rit, mais elle retire son doigt, au cas où... M. Nibbles est le hamster de la classe. Il mâchouille tout : les barreaux de sa cage, les crayons, les carottes, et même les doigts. Voilà deux semaines que M. Nibbles s'est joint à la classe de cinquième année de Mme Hernandez et il y a déjà trois enfants qui ont eu une mauvaise expérience avec les dents pointues du rongeur.

–Il est obligé de mâcher des trucs, dit Abby, qui se souvient de ce qu'elle a lu dans un des livres de la bibliothèque. Ses dents poussent sans arrêt. En mâchant, il les empêche de devenir trop longues.

–Si tu le dis, réplique Rachel, qui semble s'ennuyer. J'espère que tu te rends compte que ce n'est qu'une grosse souris toute poilue ? Ma mamie a déjà eu une souris dans sa maison. Elle s'était glissée dans ses armoires et elle avait mâché toute sa nourriture. C'était complètement dégoûtant.

Abby est déjà allée chez la grand-mère de Rachel. La cuisine était impeccable. Une souris n'y aurait certainement pas été la bienvenue. De toute façon, Abby sait que Rachel ne partage pas sa passion pour les animaux. Elle a peur qu'ils la mordent ou qu'ils fassent leurs crottes sur elle ou quelque chose du genre.

–Ça ne m'empêche pas de le trouver adorable, dit Abby, qui souhaite que M. Nibbles se réveille et fasse quelque chose d'intéressant. D'ailleurs, j'aime bien les souris, moi.

–Beurk ! fait Rachel en sortant la langue.

–Allons les enfants, du calme s'il vous plaît.

Abby lève les yeux afin de voir le professeur qui est debout à côté du tableau à l'avant de la salle de classe. Abby et Rachel se dépêchent de gagner leurs bureaux. Les étudiants prennent leurs places les uns après les autres et la pièce devient silencieuse.

–Comme vous le savez, c'est demain la

dernière journée de classe avant la semaine de relâche, commence Mme Hernandez.

Ses paroles sont presque aussitôt accueillies par des applaudissements et des cris de joie de la part de Dirk Kaefermann et de quelques-uns de ses amis. Ce sont les élèves les plus bruyants de la classe. Mme Hernandez attend d'avoir l'attention de tous les élèves avant de continuer.

–Ce qui veut dire que vous allez tous avoir une semaine de congé. Et ce qui signifie également que j'ai besoin d'un ou d'une

volontaire qui peut s'occuper de M. Nibbles durant toute la semaine.

Abby lève la main en vitesse.

–Je vais le faire, dit-elle sur un ton animé. Je vais prendre bien soin de lui. Vous savez, je suis une gardienne d'animaux professionnelle.

Mme Hernandez semble étonnée.

–Une gardienne d'animaux professionnelle ?

Abby fait signe que oui avec enthousiasme.

–Parfaitement. J'ai ma propre entreprise et ma sœur Tess me donne un coup de main. On s'occupe de toutes sortes d'animaux dont les propriétaires doivent s'absenter.

–C'est vrai, se fait entendre Rachel. Elles ont déjà pris soin d'un lézard qui s'appelle Angus.

–On a aussi gardé des poissons rouges et un cochon bedonnant, se dépêche d'ajouter Abby avant que Rachel ait le temps de dire pourquoi Angus s'est retrouvé avec du brillant à lèvres mandarine alléchante sur la gueule.

Elle ne veut pas que Mme Hernandez pense qu'elle n'est pas responsable.

–Vraiment ? répond l'enseignante, qui semble impressionnée. Quelle belle initiative,

Abby. Qu'est-ce qui t'a incitée à démarrer ta propre entreprise ?

–J'adore les animaux, répond simplement Abby.

Et c'est vrai. Tout ce qu'elle a jamais voulu, c'est d'avoir un animal de compagnie bien à elle. Un petit ami avec de la fourrure à aimer et avec qui s'amuser. Malheureusement, les animaux domestiques ne sont pas tolérés dans l'immeuble à logements où elle habite.

Abby considère que ce règlement est parfaitement injuste. Les enfants, eux, n'y sont pas interdits ? Et pourtant, ils sont bruyants, salissants et ils sentent mauvais. Sans compter qu'ils agissent étrangement parfois.

Comme sa petite sœur Tess, par exemple. C'est l'enfant la plus étrange de tout l'immeuble. La plupart du temps, elle se prend pour un chien. Elle aboie et elle grogne et son jouet préféré est un os en caoutchouc. Si les enfants sont admis dans un édifice, soutient Abby, alors les animaux domestiques ne devraient certainement pas y être interdits.

–Je crois que nous avons trouvé notre bénévole, affirme Mme Hernandez avec un sourire.

Elle dépose une feuille de papier jaune sur le bureau d'Abby.

–Tu n'as qu'à demander à ta mère de remplir ce papier d'autorisation et, demain, tu pourras emmener M. Nibbles à la maison avec toi après l'école.

Abby a un serrement à la gorge. Emmener M. Nibbles à la maison ? Elle n'avait pas réalisé qu'il devrait rester chez elle. Et le règlement qui interdit les animaux ?

Elle ouvre la bouche pour dire qu'elle ne peut pas le faire, mais Mme Hernandez est déjà occupée à assigner les devoirs de mathématiques. Abby sait qu'elle n'aime pas se faire interrompre. D'ailleurs, ce serait ridicule de refuser d'emmener M. Nibbles chez elle après s'être vantée devant toute la classe d'être une gardienne d'animaux.

Elle touche le bout de papier jaune avec ses doigts. Elle a terriblement envie d'avoir M. Nibbles pour une semaine. Ce serait tellement amusant de s'occuper d'un animal qui a de la vraie fourrure. Mais c'est impossible.

Mais est-ce que ça l'est vraiment ?

2 Abby a besoin d'un plan

Abby pense à M. Nibbles tout le long du retour à la maison. Que va-t-elle faire ? Elle veut vraiment le garder. Même si elle ne sera pas payée. Ce n'est pas l'argent qui compte. Ce serait tellement amusant de prendre enfin soin d'un animal avec qui elle pourrait s'amuser et faire des câlins.

Mais comment va-t-elle s'y prendre ? Elle pourrait peut-être faire entrer M. Nibbles en douce dans la chambre à coucher qu'elle partage avec Tess. Mais Abby se dit, en soupirant, qu'elle ne pourrait jamais le cacher pendant toute une semaine. Ses parents l'entendraient ou le sentiraient ou bien Tess s'échapperait. Ils le découvriraient d'une façon ou d'une autre, et elle serait dans de beaux draps. Ils ne la laisseraient peut-être plus jamais garder un autre animal de compagnie.

Cela ne vaut pas la peine de courir un tel risque. Il doit y avoir un autre moyen. Si seulement elle pouvait penser à un plan…

–Regarde ce que j'ai, dit Tess soudainement.

Elle saute à cloche-pied par-dessus une fissure dans le trottoir et se dépêche de rattraper Abby. Les filles se rendent et reviennent de l'école à pied. Leurs parents insistent pour qu'elles fassent toujours le trajet ensemble.

–Tu vois? dit Tess en mettant la main près du nez de sa grande sœur.

–C'est bien, dit Abby en jetant à peine un coup d'œil sur Tess.

–Tu ne l'as même pas regardé.

Tess semble vexée.

–Bien sûr que si.

Abby repousse la main de Tess.

–C'est un bracelet. Et alors?

–Mais non, nouille, dit Tess en gloussant. C'est pour un animal. C'est un collier. Comme un collier contre les puces, tu vois?

–Je vois, dit Abby distraitement. Un collier antipuces pour un animal.

–C'est Miki qui me l'a donné, dit Tess. Miki Nakama est le meilleur ami de Tess. Son père, Jeremy, est le propriétaire de l'animalerie qui est tout près de leur immeuble à logements. Elle fait tournoyer sur son doigt le petit cerceau blanc qui tire sur le vert. Il tourne de plus en plus vite jusqu'à ce qu'il ne soit plus qu'une masse confuse.

Abby pense encore à M. Nibbles. Elle pourrait peut-être l'installer dans la buanderie dans la cave. Elle pourrait descendre l'escalier et aller le nourrir et nettoyer sa cage en cachette. Personne ne l'entendrait en bas.

–Ça brille dans le noir, rajoute Tess, pleine d'espoir.

–Oui, oui.

Le bracelet se détache soudainement du doigt de Tess. Il se heurte contre le trottoir, rebondit plusieurs fois et roule jusque dans la rue. Tess pousse un jappement perçant et se met à courir après.

–Hé ! s'exclame Abby, tout à coup alerte. Fais attention !

Elle se précipite sur Tess et la saisit par le bras. Tess glapit d'étonnement tandis qu'Abby l'emmène de force vers le trottoir.

–As-tu perdu la boule ? souffle Abby. Tu n'as même pas vérifié s'il y avait des autos. Tu aurais pu te faire tuer !

–Mais... dit Tess en montrant son bracelet du doigt.

–Tu ne te rends pas compte que tu ne peux pas courir comme ça dans la rue ? dit Abby en lui coupant la parole.

En tant qu'aînée, Abby a la responsabilité de surveiller sa petite sœur en revenant de l'école. Si quelque chose arrivait à Tess, ses parents ne lui pardonneraient jamais. Mais comment peut-elle être responsable d'une enfant qui se précipite dans la circulation quand bon lui semble ?

–Mon collier antipuces, proteste Tess.

Abby la dévisage, sans comprendre.

–De quoi parles-tu ?

–Tu ne m'écoutes jamais, grogne Tess.

Elle se tient sur le bord du trottoir et vérifie d'un côté ensuite de l'autre, en exagérant. Puis, en lançant un regard hautain à sa sœur, elle descend dans la rue et récupère son bracelet.

–Ne sois pas stupide, la réprimande Abby.

S'occuper de Tess peut parfois être vraiment agaçant. Quelle autre folie va-t-elle faire maintenant ?

Tess fourre le bracelet dans le fond de sa poche.

–Excuse-moi, ronchonne-t-elle, en évitant le regard d'Abby.

Abby s'adoucit en voyant l'expression de sa sœur.

–Je veux juste que tu t'en souviennes la

prochaine fois, d'accord ? Il faut faire attention, tu sais.

Tess regarde le trottoir d'un air renfrogné.

– Tu ne fais pas attention à moi, marmonne-t-elle.

Abby ne répond pas. Elle pense déjà à autre chose. À M. Nibbles, plus précisément. On dirait que le papier d'autorisation jaune qui est dans son sac à dos produit un froissement dans son oreille quand elle marche. Il n'est pas question qu'elle le donne à sa mère. Elle sait exactement ce qu'elle dirait.

« Il faut respecter le règlement. Les animaux sont interdits. »

Mais les règlements sont parfois faits pour être contournés, pas vrai ?

3 Le porte-panier s'échappe encore

En silence, Abby et Tess montent péniblement l'escalier qui mène à leur appartement. Lorsqu'elles arrivent au numéro 18, Abby essaie de tourner la poignée, mais la porte est fermée à clé.

En pensant encore à M. Nibbles, Abby met sa main dans le col de son chemisier et en ressort une longue ficelle à laquelle est attachée une clé de couleur cuivre. Elle glisse la clé dans la serrure et tourne la poignée.

–J'ai faim, annonce Tess dès qu'elles pénètrent à l'intérieur.

Les deux sacs à dos tombent sur le sol en faisant un bruit sourd. Ignorant Tess, Abby remet la clé dans son chemisier. Elle l'a toujours au cou, sauf la nuit quand elle dort.

Il n'y a personne dans l'appartement. Leur mère doit avoir été retenue au travail. C'est plutôt rare, mais quand cela arrive, Abby doit veiller à ce que Tess prenne sa collation après l'école. Aujourd'hui, Abby ne peut penser à rien d'autre qu'à M. Nibbles.

–J'ai faim, se plaint de nouveau Tess, mais plus fort cette fois.

Sa voix devient geignarde.

–Je veux une collation.

–Pourquoi ne regardes-tu pas la télé ? demande Abby d'un ton brusque.

Elle se met à genoux et ouvre la fermeture à glissière de son sac à dos.

–Maman va arriver dans quelques minutes.

Abby cherche le papier d'autorisation jaune dans son sac. Elle sort le papier et tente de le défroisser. Elle pousse un soupir. Sa mère ne la laissera jamais emmener un hamster à la maison. C'est désespérant.

–Awhououououou ! Awhououououou !

Abby dresse brusquement la tête. Tess se tient debout dans l'entrée, les yeux crispés. Son menton est renversé vers le plafond et elle hurle comme un chien un soir de pleine lune. Abby met ses mains sur ses oreilles et le bout de papier jaune tombe en tourbillonnant sur le plancher.

–Que se passe-t-il ? crie Abby à sa sœur.

Elle enlève une main de son oreille assez longtemps pour tendre le bras et pousser Tess.

–Hé ! Ça suffit !

Tess lance un regard furieux à Abby.

–Tu ne m'écoutes jamais. J'ai faim !

–Prends une pomme, je ne sais pas, moi, dit Abby avec impatience. J'ai des choses plus importantes à régler en ce moment. Comme trouver comment je vais expliquer à mon professeur que je ne peux pas garder M. Nibbles la semaine prochaine.

–M. Nibbles ? dit Tess en dressant l'oreille.

–C'est le hamster de ma classe, explique Abby. J'ai dit à Mme Hernandez que je le surveillerais pendant la semaine de relâche, mais je n'avais pas réalisé que je dois l'emmener avec moi à la maison. Comment vais-je lui dire que je ne peux pas ? Toute la classe va rire de moi.

–Demande à maman, suggère Tess obligeamment. Elle sait toujours quoi faire.

–C'est ça, dit Tess en lui jetant un regard mauvais. Maman ne peut pas m'aider. Le règlement, c'est le règlement. Et si je la fatigue une fois de plus avec un animal de compagnie, elle va probablement me mettre en punition pour un mois.

Elle se dirige vers la salle de séjour.

—J'y pense, je pourrais peut-être dire à Mme Hernandez que tu es allergique aux hamsters, crie-t-elle par-dessus son épaule.

–Mais je ne suis allergique à rien, réplique Tess en suivant Abby.

–Je le sais bien, dit Abby en soupirant.

Il y a des fois où Tess est vraiment bouchée. Elle se lance sur le divan et regarde le mur fixement.

–Mais je n'ai pas le choix. Que veux-tu que je fasse ?

–Je continue de penser que tu devrais en parler à maman, dit Tess en haussant les épaules.

–Parler à maman de quoi ? demande une voix qui vient du corridor.

4 Une lueur d'espoir

Lorsque Tess entend la voix de sa mère, elle se précipite dans le hall d'entrée pour l'accueillir. Le temps qu'Abby les rejoigne, Tess tourne déjà autour de sa mère comme un chien qui court après sa queue.

–Eh bien, je suis contente de te voir, moi aussi ! dit sa mère en s'agenouillant pour attraper Tess et la serrer dans ses bras.

Elle sourit à Abby.

–Que voulais-tu me demander ?

Abby essaie de réfléchir.

–Euh !…

–M. Nibbles peut-il venir à la maison avec nous ? interrompt Tess en affichant un large sourire à Abby.

–Qui est M. Nibbles ? demande sa mère en regardant Tess avec un froncement perplexe.

–Personne, se dépêche de répondre Abby.

–Un hamster, ajoute Tess en ignorant Abby.

Elle se dégage des bras de sa mère et s'éloigne. Quand Tess est excitée, elle fait bouger ses bras en parlant. Mais avant de pouvoir placer un autre mot, elle glisse sur un morceau de papier jaune et atterrit comme une masse sur le plancher.

– Aow ! hurle Tess, en se frottant l'épaule. Qui a laissé ce stupide papier traîner là ?

C'est le papier d'autorisation. Abby doit s'en emparer avant que sa mère le voie !

Trop tard. Leur mère aide Tess à se lever et tend le bras pour prendre la note.

– C'est une note de ton professeur, Abby, dit-elle en levant un sourcil.

Abby regarde le plancher fixement. Elle ne sait pas quoi dire. Sa mère lit la note en silence. Lorsqu'elle pose son regard sur Abby, ses yeux sont compatissants.

– Explique-moi, s'il te plaît, demande-t-elle doucement.

– Il n'y a rien à expliquer, répond Abby sur la défensive. Ce n'est qu'une grosse erreur, c'est tout. Mme Hernandez cherche un ou une volontaire pour s'occuper de l'animal de compagnie de la classe pendant la semaine de relâche.

– M. Nibbles est l'animal de compagnie de ta classe ? demande sa mère.

Abby fait signe que oui.

– Mais ne t'inquiète pas. Je vais lui dire en arrivant demain matin que je ne peux pas le surveiller. J'aurais dû le faire aujourd'hui, après la classe, sauf que j'étais un peu gênée.

Abby hésite et regarde fixement le papier jaune.

–Mais je voulais vraiment le faire, ajoute-t-elle doucement.

–Tu me surprends, Abby, dit sa mère sur un ton réprobateur.

Abby soupire. En plus d'avoir à expliquer à Mme Hernandez qu'elle ne peut pas s'occuper de M. Nibbles, voilà maintenant qu'elle déçoit sa mère. La journée n'aura pas été si terrible finalement.

–Excuse-moi, dit-elle.

–Je suis étonnée de te voir baisser les bras si facilement.

–Hein ? fait Abby, prise au dépourvu.

–D'habitude, tu es plus persévérante, dit sa mère en mettant son bras autour des épaules d'Abby.

–Mais le règlement...

–Je connais le règlement. Mais je sais aussi que le concierge de l'immeuble est parti en vacances pour deux semaines. C'est son fils qui prend la relève. Je crois qu'il s'appelle Desmond. De toute façon, il aime les animaux. Tu devrais peut-être lui parler.

Abby n'en croit pas ses oreilles. Est-ce bien vrai ? Le garçon du vieux M. Brewster la laisserait garder M. Nibbles dans sa chambre ? Un élan d'enthousiasme l'envahit. Il y a peut-être de l'espoir après tout !

– Je vais lui parler ! crie-t-elle en se dirigeant vers la porte.

– Pas si vite, dit sa mère, toujours en souriant.

Elle montre du doigt le sac à dos d'Abby.

– Commence par faire tes devoirs. Tu pourras parler à Desmond après.

– Mais... grogne Abby.

– Tes devoirs, dit sa mère en se croisant les bras et en secouant la tête.

Abby sait qu'il est inutile de discuter. Elle sort sa reliure de mathématiques et son étui à crayons de son sac à dos et suit sa mère à la cuisine. Elle se dit que cela ne fait rien, en jetant ses affaires sur la table. Plus rien n'a d'importance maintenant qu'elle sait qu'elle va pouvoir emmener M. Nibbles à la maison. C'est comme si elle allait avoir son propre animal de compagnie !

Tess se montre la tête dans la cuisine et tire la langue à Abby.

– Je t'avais bien dit de demander à maman.

5 Tel père, tel fils ?

D'habitude, Abby raffole des maths, mais, aujourd'hui, elle a l'impression que ses devoirs n'en finissent plus. Et quand sa mère les vérifie, elle trouve quatre erreurs. Abby prend sa gomme à effacer et se remet au travail en poussant un soupir.

Quelques minutes plus tard, elle remet sa reliure à sa mère qui doit approuver ses corrections.

–Je peux aller parler au fils de M. Brewster maintenant ? demande Abby avec impatience.

–D'accord, répond sa mère après s'être assurée que les corrections d'Abby sont bonnes. Tu peux y aller. Et emmène Tess avec toi.

–Mais… proteste Abby.

–Emmène Tess avec toi, répète sa mère sur un ton ferme. Elle est ton assistante, non ?

–Oui oui, d'accord, ronchonne Abby.

Elle en veut encore à Tess d'être un vrai porte-panier. Tess ne pourrait pas garder un secret, même si sa vie en dépendait. Abby doit tout de même admettre que, cette fois-ci, les choses se sont assez bien passées.

Elle jette un coup d'œil furtif dans la salle de séjour. Tess est assise sur le plancher, en train de jouer une partie de dames en solitaire. Elle déplace un pion rouge, file de l'autre côté et saute par-dessus le pion rouge avec un pion noir.

–Je t'ai eu ! dit-elle en jubilant.

–Je vais parler au fils de M. Brewster, annonce Abby. Veux-tu venir ?

–Ouah !

Tess bondit sur ses pieds en envoyant le damier et les pions en l'air. Elle saute par-dessus le gâchis en oubliant complètement son jeu.

L'appartement de M. Brewster est au rez-de-chaussée de l'édifice. Quand on a besoin de lui, on le trouve presque toujours là, assis devant le téléviseur en train de regarder une partie de baseball. C'est un vieil homme aux cheveux gris et aux sourcils en broussaille qui se rejoignent au-dessus de ses yeux comme deux chenilles poilues.

Il est aussi bougon. Il n'a jamais souri ni salué Abby et Tess de la main en les croisant dans l'entrée. Quand leurs parents l'appellent pour lui demander de venir réparer quelque chose, il arrive toujours en retard. Il marmonne tout bas quand il pénètre dans leur appartement en serrant sa boîte à outils rouge bossée dans sa main.

Abby ignorait que M. Brewster avait un fils. En fait, Abby s'aperçoit qu'elle ne sait rien du concierge, même si elle habite dans son immeuble depuis trois ans. Enfin, elle sait qu'il déteste les animaux.

–J'espère que Desmond est plus aimable que son père, dit Abby à sa sœur tandis qu'elles s'arrêtent devant la porte de droite. Il doit l'être puisqu'il aime les animaux.

–Ouah ! convient Tess.

Abby hésite pendant un moment, puis elle frappe deux coups.

6 M. Bourdon

Il ne se passe rien.

–Il n'est peut-être pas chez lui, suggère Tess. On pourrait revenir.

–On ne peut pas, réplique Abby. Je dois remettre le papier d'autorisation à Mme Hernandez demain.

Elle frappe bruyamment à la porte.

Les minutes s'écoulent. Abby se mord la lèvre. Elle ne peut pas partir maintenant, pas quand elle est si près du but. Au moment où elle tend le bras pour frapper de nouveau, la porte s'ouvre brusquement et un homme apparaît dans l'embrasure.

Abby ne peut s'empêcher de le dévisager. Il porte un cuissard à rayures jaunes et noires ainsi qu'un t-shirt jaune vif. Ses bras sont gonflés de muscles et il a les cheveux courts et droits qui vont dans tous les sens. Abby trouve qu'il ressemble à un bourdon.

–Euh! Nous cherchons le fils de M. Brewster, dit Abby timidement.

Elle se demande si cet homme bizarrement habillé peut l'entendre avec le son métallique qui retentit des écouteurs qui couvrent ses oreilles.

–Savez-vous où pourrait-on le trouver?

M. Bourdon affiche un sourire bon enfant et appuie sur l'un des boutons de son baladeur. La musique s'arrête instantanément.

–Excusez-moi, les enfants, dit-il en poussant un petit rire. Je ne vous entendais pas, mes chansons étaient trop fortes.

Abby essaie de nouveau.

–Nous cherchons le fils de M. Brewster.

–Eh bien, vous l'avez trouvé! répond-il gaiement. Appelez-moi Desmond.

–C'est vous, Desmond?

Abby a du mal à croire que cet insecte bruyant aux cheveux hérissés est le fils de M. Brewster. Elle n'arrive pas à se les imaginer ensemble dans la même pièce et encore moins dans la même famille. Il doit avoir détecté le doute dans sa voix.

–C'est comme ça qu'on m'appelle, dit-il avec un sourire.

Ses yeux se plissent dans les coins.

–Je surveille l'édifice pendant l'absence de mon père. Que puis-je faire pour vous ?

Abby se tourne vers sa sœur qui, au lieu de l'aider, reste muette comme une carpe. Abby aimerait bien qu'elle dise quelque chose pour une fois. D'habitude, Tess parle sans arrêt. Mais dans ce genre de situation, on peut compter sur elle pour ne pas ouvrir la bouche.

–C'est juste qu'on se demandait… commence Abby, puis elle s'arrête.

Elle s'éclaircit la voix.

–C'est qu'on voudrait vous demander si on ne pourrait pas…

Abby et Tess sont bouche bée.

Desmond saute dans l'embrasure de la porte en balançant ses bras vers l'avant, puis vers l'arrière. Il laisse subitement tomber sa tête sur sa poitrine, puis il la fait rouler d'un côté.

–Continuez, je vous écoute.

–Euh ! Eh bien !…

Abby le regarde, incertaine, passer du jogging sur place à des sauts avec des écarts simultanés des bras et des jambes.

—Notre famille habite l'appartement 18. On se demandait si vous nous donneriez la permission d'emmener le hamster de l'école chez nous. C'est juste pour une semaine, s'empresse-t-elle d'ajouter afin qu'il ne se fasse pas de fausse idée. Seulement pendant la semaine de relâche.

—Un hamster? demande Desmond en faisant une flexion latérale du tronc et en s'étirant le bras par-dessus la tête. Dans votre appartement?

Abby fait signe que oui.

Desmond semble y réfléchir. Il se penche en avant et touche ses chaussures de sport jaunes du bout des doigts. Il tourne la tête et lève les yeux vers elles.

—Seulement pour une semaine? demande-t-il.

Abby fait de nouveau signe que oui.

—D'accord, dit-il en se relevant. Mais écoutez-moi bien, les enfants. Vous devez me promettre que votre hamster ne sortira pas de votre appartement, de sa cage. Si mon père apprend qu'il est arrivé quelque chose, je vais avoir de gros ennuis. C'est compris?

—Ah, merci! dit Abby, qui se retient pour ne pas le serrer dans ses bras.

Quelle chance incroyable !

–Ne vous inquiétez pas, dit-elle, nous allons faire très, très attention. Vous savez, nous sommes des gardiennes d'animaux, alors nous savons comment prendre bien soin d'eux.

–Eh bien, c'est formidable ! Je n'aurai donc pas à craindre que votre hamster s'échappe ou quelque chose comme ça. Parce que mon père…

–Nous allons faire attention, le rassure Abby.

Elle se souvient du lézard qu'elles ont déjà gardé et qui s'était évadé de son vivarium, mais elle se débarrasse de cette pensée.

–Nous sommes très responsables.

–C'est super. Alors il n'y a pas de problème.

Desmond appuie sur un bouton sur son baladeur et la musique retentit de nouveau dans ses écouteurs. Il sort dans l'entrée en faisant du jogging et ferme la porte derrière lui.

–Il faut que je me sauve les enfants. Six kilomètres par jour, beau temps, mauvais temps !

Il s'éloigne en faisant un signe de la main. Abby et Tess le regardent traverser le corridor au trot et disparaître à travers la porte d'entrée de l'immeuble.

–Il est un peu bizarre, dit Abby lentement. As-tu vu ses chaussures ?

Tess pousse un petit rire.

–Enfin, ça ne me dérange pas du tout qu'il soit étrange, décide Abby, car, grâce à lui, M. Nibbles s'en vient à la maison avec nous demain !

Sur le chemin de la maison

Mme Hernandez donne une boîte de nourriture pour hamsters à Abby.

–Bon, je crois que c'est tout, dit-elle. Es-tu certaine de savoir quoi faire ?

Abby fourre la boîte pleine de graines et de noix dans son sac à dos. La nourriture lui fait penser au mélange de fruits secs que sa mère glisse parfois dans leurs lunchs.

–Oui, Mme Hernandez. Je vais nourrir M. Nibbles tous les soirs avant de me coucher. Je vais m'assurer que son contenant d'eau est bien plein. Et je vais lui donner quelques tranches de fruit ou de légume tous les matins. Vous n'avez pas à vous inquiéter.

–Je suis certaine que tu vas en prendre bien soin, dit Mme Hernandez. C'est très rassurant de savoir que M. Nibbles sera entre bonnes mains la semaine prochaine. Même si ça ne fait pas longtemps qu'il est dans la classe avec nous, je suis assez attachée à ce petit.

Abby met son sac à dos d'un haussement d'épaules et prend la cage. Elle n'est pas bien lourde, mais elle est grande. Lorsqu'elle la tient devant elle, c'est à peine si elle peut voir par-dessus.

–Essaie de ne pas trop le manipuler au début, conseille Mme Hernandez tandis qu'Abby se dirige vers la porte. Il va être énervé dans un nouvel environnement. Donne-lui une journée ou deux pour s'adapter.

–D'accord ! crie Abby par-dessus son épaule.

Le poids de la cage se déplace tandis que M. Nibbles se promène d'un bout à l'autre. Abby marche aussi prudemment que possible en s'employant à stabiliser la cage.

Tess l'attend à l'extérieur.

–C'est M. Nibbles ? demande-t-elle en haletant et en bondissant d'excitation.

–Ne me rentre pas dedans, Tess, avertit Abby.

–Veux-tu que j'apporte ton sac à dos ? demande Tess, pleine d'espoir.

Abby voit bien qu'elle ne demande qu'à rendre service.

–Non, ça va. Allons-y tout de suite.

Abby commence à avoir mal aux bras et elles ne sont pas encore sorties de la cour de l'école.

–Plus tôt il sera installé dans notre chambre, mieux ce sera.

Tess sautille à côté de sa grande sœur. Elle marche aussi vite qu'elle ose le faire. De temps à autre, un petit cri aigu s'échappe de la litière où M. Nibbles s'est creusé un terrier. Abby espère qu'il n'a pas le mal de mer. Elle aperçoit enfin leur gros immeuble à logements brun qui se dresse devant eux.

–Tiens bon, M. Nibbles, murmure-t-elle doucement. On y est presque.

Au fur et à mesure qu'ils s'approchent, Tess aperçoit sa mère qui est assise sur les marches, à l'avant de l'immeuble. Elle glapit de joie et court vers elle. Abby continue à marcher en s'efforçant de garder la cage en équilibre devant elle. Lorsqu'elle atteint l'immeuble, Tess a eu le temps de grimper sur les genoux de sa mère d'où elle est en train de fourrer joyeusement son nez dans son cou.

–Ce doit être le merveilleux M. Nibbles dont j'ai tellement entendu parler, dit sa mère dès qu'Abby est à portée de voix.

Abby sourit d'un air las. La marche l'a un peu essoufflée. Trimballer la cage jusqu'à la maison s'est avéré plus difficile que prévu. Elle la dépose doucement sur la marche à côté de sa mère, puis elle s'effondre à côté d'elle.

Sa mère regarde M. Nibbles, qui a sorti sa tête de la litière.

–Il est plutôt mignon, non ? On dirait un petit animal en peluche.

–C'est un hamster « nounours », affirme fièrement Abby. En fait, c'est un hamster syrien, ajoute-t-elle en se redressant, mais comme il a le poil long et duveteux, on le qualifie souvent de hamster « nounours ». Mme Hernandez nous a tout appris sur les hamsters quand il est arrivé dans la classe.

–Quel âge a-t-il ? demande sa mère en regardant M. Nibbles remuer son nez.

–Je ne sais pas trop, répond Abby en regardant la cage avec incertitude. Ça fait seulement deux semaines qu'il est avec nous.

Tess descend des genoux de sa mère en rampant afin d'étudier la question. Elle renifle la cage avec curiosité. Elle se met tout à coup à japper et elle fait un bond en arrière en plissant son nez avec dégoût.

–Il sent mauvais, déclare-t-elle.

Un nouveau compagnon de chambre

–Les hamsters ne sentent pas mauvais, réplique Abby en regardant Tess de travers. Pour ton information, ils n'ont presque pas d'odeur corporelle. C'est la cage qui sent mauvais parce qu'elle a besoin d'être nettoyée. Je le ferai demain, quand il se sera adapté.

Leur mère se lève et ramasse le sac à dos d'Abby.

–Je vais le rentrer, dit-elle. Il faut décider où on va mettre M. Nibbles.

–J'avais pensé qu'on pourrait l'installer sur la commode dans notre chambre, dit Abby.

–Mais les hamsters sont des animaux nocturnes, non ? demande sa mère d'un air incertain. Il pourrait vous empêcher de dormir.

Abby sait que nocturne signifie que M. Nibbles est un animal qui dort le jour et qui est actif la nuit. C'est vrai que, à l'école, il passe le plus clair de son temps à dormir à poings fermés, couché en boule. Mais si elles ne peuvent avoir un animal de compagnie qu'une seule semaine, alors elle veut passer le plus de temps possible avec lui.

–Il ne le fera pas, promet Abby. Si je réussis à dormir avec la musique d'opéra qui vient de l'appartement du dessous, ce n'est pas un petit hamster qui va me tenir éveillée.

Abby se fiche du bruit qu'il peut faire. C'est sa seule et unique chance d'avoir un animal de compagnie et elle ne veut pas en manquer une seule minute.

En haut, dans l'appartement, les filles se rendent directement dans leur chambre. Du côté d'Abby, il y a un lit, un bureau et une étagère remplie de livres sur les animaux. Le lit de Tess est du côté opposé, à côté d'un coffre à jouets plein à craquer et d'une commode-coiffeuse basse et large.

Abby installe la cage sur la commode. Elle aurait préféré que M. Nibbles soit de son côté, mais la commode est plus grosse que son bureau. Elle a besoin de l'espace supplémentaire pour la nourriture de M. Nibbles et les copeaux de bois qui tapissent le fond de sa cage. Tess la regarde faire en se tenant debout dans l'embrasure de la porte.

–Je peux t'aider ? lui demande-t-elle.

Abby extirpe le contenant d'eau de M. Nibbles de son sac. Il est en plastique transpa-

rent et il y a un bec métallique qui dépasse du fond. Le bec est bouché par une petite balle qui retient l'eau à l'intérieur jusqu'à ce que le hamster la lèche. À chaque coup de langue, M. Nibbles reçoit une minuscule gouttelette d'eau.

–Tiens, répond Abby. Tu veux me remplir ça ? Il faut le remplir d'eau fraîche tous les jours. Ce sera ton travail.

Tess jappe joyeusement. Elle saisit le contenant de plastique et se précipite dans la salle de bains. On entend le murmure de l'eau courante à travers le corridor.

Abby fait un grand sourire. Remplir le

contenant d'eau est la tâche idéale pour Tess. C'est une responsabilité à toute épreuve. Comme le contenant se fixe à l'extérieur de la cage métallique, Tess n'aura jamais à soulever le loquet de la porte.

Abby réarrange les provisions du hamster en se félicitant d'avoir trouvé le moyen idéal d'empêcher Tess de se mettre dans le pétrin. Elle se dit que, cette fois-ci, il n'y aura pas de mauvaises surprises.

9 Tess se fait un ami

–Je peux le prendre ? supplie Tess.

–Je t'ai déjà dit non, répond Abby. Arrête de me fatiguer avec ça.

–Juste une minute? demande Tess en regardant Abby avec ses grands yeux doux.

Abby secoue la tête.

–Mme Hernandez a dit qu'il ne faut pas le manipuler tout de suite. Tu sais, il faut le laisser s'habituer à son nouvel emplacement. C'est un animal, pas un jouet.

–S'il te plaît ?

Abby pousse un soupir et laisse tomber sur son oreiller le livre qu'elle est en train de lire. De toute évidence, Tess ne lâchera pas. Elle ne lui a pas laissé une seule minute de répit depuis la fin du souper, il y a de cela une heure.

Le Guide complet sur le hamster devra attendre.

–Si je te laisse le caresser, me promets-tu de me laisser tranquille pendant un bout de temps ?

–Ouah ! répond Tess avec un grand sourire.

La cage métallique entre complètement sur le dessus de la commode. M. Nibbles est couché en boule dans un coin où il dort paisiblement. Abby et Tess le regardent pendant un moment en espérant qu'il se réveille.

–Oh la la ! murmure Tess. Il est vraiment gros !

–Il n'est pas gros, c'est juste qu'il a beaucoup de poils, la reprend Abby. Le poil des hamsters « nounours » est plus long que celui des autres.

–Moi, je le trouve gros, dit Tess en le regardant de plus près.

Abby ne discute pas. Tess peut être très têtue quand elle veut.

–C'est quoi, le truc rond ? demande Tess en montrant un bidule en plastique qui est accroché aux barreaux à une extrémité de la cage.

–C'est une roue d'exercice, explique Abby. Elle se met à tourner en rond quand M. Nibbles court dedans. C'est un peu comme un tapis roulant dans un gymnase.

–Il devrait s'en servir plus souvent, réplique Tess. Il est beaucoup trop gros.

–Je t'ai déjà dit qu'il n'est pas gros, commence Abby, exaspérée.

Puis elle s'arrête. Pourquoi devrait-elle se soucier de ce que Tess peut penser ? C'est plus facile de changer simplement de sujet.

–Je crois qu'il est temps de le nourrir. Tu veux me passer cette boîte ?

À travers le couvercle de plastique transparent de la boîte, on aperçoit des graines de tournesol, des arachides, du maïs et plein d'autres choses. Tess renifle la boîte avant de la donner à Abby.

–Yam-yam ! dit-elle. Je peux y goûter ?

–Ne sois pas dégoûtante, Tess.

Abby prend la boîte et vérifie la longue liste d'ingrédients.

–Veux-tu vraiment manger des granulés pour rongeurs. Et des pois et de l'orge en flocons… et des biscuits pour chiens ?

Tess penche la tête de côté et réfléchit un instant.

–Oublie ça, lance Abby.

Elle la croit capable de dire oui. Surtout si la préparation contient des biscuits pour chiens.

–C'est pour M. Nibbles, alors bas les pattes, compris ?

Tess fait un signe de tête affirmatif à contrecœur. Abby ouvre la porte de la cage et met la main à l'intérieur. Tandis qu'elle est sur le point de prendre l'assiette de nourriture, M. Nibbles se déroule et se lève. En voyant la main d'Abby, il recule rapidement.

–Il ne t'aime pas, murmure Tess en surveillant le hamster intensément.

–De quoi parles-tu ? réplique Abby en riant. Je le nourris tout le temps à l'école. Il est désorienté, c'est tout. Je t'ai déjà dit qu'il va lui falloir du temps pour s'habituer à une nouvelle pièce.

M. Nibbles recule encore. Abby hésite. Que fait-il ? Il ne la dévisage pas comme d'habitude. On dirait presque qu'il est fâché. Elle tente d'aller chercher l'assiette de nouveau en prenant une grande respiration.

M. Nibbles s'élance vers l'avant et fait un drôle de grincement. Surprise, Abby retire sa main d'un coup sec. Il est vraiment fâché contre elle ! Sa main tremble légèrement lorsqu'elle ferme la porte et qu'elle la verrouille.

Tess aurait-elle raison ? Abby dévisage M. Nibbles. Le grincement a cessé, mais il la regarde encore d'un air agressif. Déterminée à ne pas se laisser effrayer, Abby déverrouille la porte et remet sa main à l'intérieur. Le bruit recommence aussitôt. Elle retire sa main. Le bruit cesse.

–Il ne t'aime pas, répète Tess.

Abby fronce les sourcils

–Je ne comprends pas, dit Abby, frustrée. C'est bien la première fois que je le vois agir de la sorte.

–Laisse-moi essayer, suggère Tess.

–S'il ne veut pas que je l'approche, je ne vois pas pourquoi il te laisserait le faire, rétorque Abby avec assurance. Il lui faut peut-être plus de temps…

Sans attendre qu'Abby termine sa phrase, Tess tend le bras afin de prendre l'assiette de

nourriture. M. Nibbles l'observe en remuant son nez, mais il demeure silencieux tandis qu'elle prend l'assiette. Elle la donne à Abby.

–Je ne comprends pas, s'exclame Abby. Pourquoi t'a-t-il laissée prendre l'assiette ?

–On est amis, répond Tess simplement.

–Ne sois pas ridicule, réplique Abby d'un ton brusque.

Elle remplit l'assiette de nourriture pour hamsters et la donne à Tess d'un air renfrogné.

–Dépêche-toi de la remettre si tu ne veux pas te faire mordre.

–Il ne me mordra pas, réplique Tess.

Elle remet l'assiette de nourriture et caresse le dos duveteux de M. Nibbles.

–Tu vois ?

Abby se mord la lèvre et se détourne. Ce n'est pas juste ! M. Nibbles est l'animal de compagnie de sa classe. Pas celle de Tess. Pourquoi a-t-il laissé Tess le caresser et pas elle ? Elle a enfin la chance d'avoir un animal de compagnie et la stupide bête ne l'aime même pas !

À quoi bon avoir un animal de compagnie si on ne peut même pas le toucher ?

10 Un présent pour M. Nibbles

C'est Tess qui nourrit M. Nibbles le lendemain. Et le surlendemain. Abby lui laisse également mettre des copeaux de bois propres dans le fond de la cage. En fait, elle laisse Tess s'occuper de tout.

Ce n'est pas qu'Abby ne veut pas prendre soin de M. Nibbles. Elle voudrait bien. Mais chaque fois qu'elle tente de s'en approcher, il agit bizarrement. Il fait un grincement avec ses dents et il file à toute allure en poussant un petit cri indigné. Abby est bien obligée d'admettre que Tess a raison. M. Nibbles aime sa sœur, pas elle.

Elle ne reconnaît plus le hamster de sa classe. D'abord, elle a l'impression qu'il mange beaucoup plus. Il avale tout ce que lui donne Tess, puis il agit comme s'il avait encore faim. Il se tient près de son assiette de nourriture et il regarde Tess fixement en attendant qu'elle lui en redonne. Abby ne se souvient pas de l'avoir vu aussi gourmand à l'école.

–Quel drôle d'animal de compagnie tu fais, marmonne-t-elle en levant les yeux du livre qu'elle est en train de lire sur son lit.

La boule au pelage duveteux qui dort dans un coin de la cage ne réagit pas. Abby tourne quelques pages en silence. C'est un bouquin sur les chatons. Elle a caché *Le Guide complet sur le hamster* tout en bas de son étagère, le plus loin possible de son lit.

Lorsqu'on sonne à la porte, Abby se relève d'un bond et traverse l'entrée à toute allure. Tess passe l'après-midi chez une amie. Comme Abby n'a pas souvent la chambre à coucher à elle toute seule, elle a tout de suite pensé à appeler Rachel.

–Salut, dit Rachel lorsque Abby lui ouvre la porte. Je t'ai apporté une surprise.

Abby regarde le sac à provisions en plastique dans la main de Rachel. Il est gros et rond, comme s'il contenait une boule de quilles. Mais c'est insensé puisque Rachel déteste jouer aux quilles. Elle dit que c'est à cause des chaussures dégoûtantes qu'il faut louer, mais Abby ne la croit pas. Si Rachel n'aime pas les quilles, c'est probablement parce qu'elle joue comme un pied.

–Quel genre de surprise ? demande Abby.

–Je vais te le montrer dans une minute, répond Rachel en cachant le sac derrière son dos. Où est M. Nibbles ?

–Il est dans ma chambre, répond Abby sans enthousiasme. Veux-tu faire des biscuits ?

–Tantôt peut-être, répond Rachel. Je veux voir M. Nibbles avant. La surprise est pour lui.

–Il agit plutôt bizarrement depuis que je l'ai emmené à la maison, l'avertit Abby en la suivant jusque dans la chambre. Je ne sais pas s'il va te laisser le toucher.

–Comment ça, bizarrement ? demande Rachel en jetant un coup d'œil par-dessus son épaule.

– Je ne sais pas, répond Abby en haussant les épaules. D'humeur changeante, je dirais. Il ne veut pas que je l'approche, mais Tess est soudainement devenue sa meilleure amie.

– Bizarre, en effet, note Rachel. Elle est où, Tess ?

Elle aimerait bien voir ça, elle aussi.

– Chez une amie, répond Abby.

Elle s'effondre sur son lit en ignorant la cage du hamster.

– Eh bien ! Cette chambre n'a jamais été aussi propre, remarque Rachel en regardant autour d'elle.

Abby est une maniaque de la propreté. Sa moitié de chambre est toujours bien rangée et en ordre. Tess, par contre, est portée à lancer ses jouets et ses vêtements n'importe où.

– Ma mère a obligé Tess à ramasser ses choses avant de sortir, réplique Abby. C'est incroyable comme elle peut ranger vite quand elle s'y met. Alors, quelle est la grande surprise ? demande-t-elle en jetant un coup d'œil sur le sac de Rachel.

Rachel sourit d'une manière impénétrable et tourne le dos à Abby. Un froissement se produit lorsqu'elle sort quelque chose du sac. Elle se retourne en faisant un grand geste du bras.

–Tadam!

–Hé, je sais ce que c'est! lance Abby en reconnaissant aussitôt la surprise. C'est un ballon d'exercice, s'exclame-t-elle en se levant d'un bond et en l'enlevant des mains de Rachel. Il y en a plein à l'animalerie de Jeremy.

Il y a quelques semaines, Jeremy avait donné la permission à Abby d'en sortir un de la boîte. C'est à ce moment-là qu'elle avait décidé que, si jamais elle avait un hamster, elle lui achèterait un ballon d'exercice. Un bleu, peut-être. Ils sont offerts dans toutes sortes de couleurs rigolotes.

Celui-là est de la même grosseur qu'une boule de quilles, les grosses qui ont des trous pour les doigts. Il est en plastique jaune et il est creux au centre. Sur l'un des côtés du ballon, il y a une trappe qui permet au hamster d'entrer et de sortir à sa guise. Une fois à l'intérieur, le hamster peut faire rouler le ballon à travers le plancher simplement en marchant ou en courant.

–Mon grand frère a déjà eu un hamster. On a encore toutes ses affaires. Je me suis dit que M. Nibbles aimerait peut-être s'y amuser.

–Super, dit Abby.

Elle oublie pendant un instant que M. Nibbles l'a vexée.

–Avec ça, il peut explorer toute la chambre. C'est parfait ! Il ne pourra ni se perdre, ni se blesser, ni se faire piétiner.

–Il ne pourra pas non plus laisser une traînée de crottes partout où il ira, dit Rachel avec un grand sourire. Essaie-le.

–D'accord, dit Abby d'une manière hésitante en toisant M. Nibbles. Pour une fois, il est éveillé. Il est en train de grignoter un bâtonnet de carotte que Tess lui a donné plus tôt. J'espère qu'il va me laisser le prendre.

Elle déverrouille la porte de la cage nerveusement et tend le bras pour le prendre. Mais le manège recommence. Dès que sa main s'approche de M. Nibbles, il s'éloigne en rampant et grince des dents en la regardant.

–Il va falloir attendre que Tess revienne, dit Abby en enlevant vite sa main de là et en fronçant les sourcils.

–Je ne l'ai jamais vu faire ça, dit Rachel, étonnée. Écoute, on devrait peut-être laisser tomber. Je ne peux pas rester longtemps et je n'ai pas vraiment demandé à mon frère si je pouvais emprunter le ballon.

–Stupide animal, ronchonne Abby. Rien ne va comme elle voudrait.

11 Quelqu'un est laissé-pour-compte

Rachel regarde le visage déconfit d'Abby, puis M. Nibbles.

–J'ai une idée, dit-elle.

Elle prend la boîte d'aliments pour hamsters.

–C'est sa nourriture, ça?

–Oui oui, répond Abby lentement. Il y a des biscuits pour chiens dedans, alors ne fais pas de bêtises.

–Je n'ai pas l'intention d'en manger, répond Rachel en faisant une grimace.

Elle ouvre le ballon et y laisse tomber un tout petit peu de nourriture pour hamsters. Ensuite, elle tient ouverte contre la porte de la cage la trappe du ballon.

Les filles attendent. Au bout d'une minute, M. Nibbles s'approche de la porte de la cage en reniflant avec curiosité. Abby et Rachel retiennent leur souffle. M. Nibbles hésite, mais l'arôme de la nourriture est trop alléchant et il finit par monter dans le ballon. Rachel referme rapidement la trappe.

–J'ai réussi, dit-elle en souriant d'un air

triomphant à Abby. Hé ! Qu'est-ce qu'il a autour du cou ?

–Un bracelet, répond Abby en jetant un coup d'œil sur l'anneau blanc qui tire sur le vert. Tess prétend que c'est son collier antipuces et qu'elle l'a mis à M. Nibbles parce qu'il est trop petit pour elle. Je sais bien qu'il a l'air ridicule avec ça, mais il ne veut pas que je le lui enlève.

Rachel dépose doucement le ballon sur le tapis. Pendant un moment, il ne se passe rien. Puis M. Nibbles fait un pas en avant, puis un autre, et bientôt le ballon roule à travers la chambre. Rachel rit tout haut lorsque le ballon rentre dans le mur.

–Il faudrait lui apprendre à conduire, dit-elle pour rire.

–Il va finir par comprendre, dit Abby.

Elle regarde M. Nibbles changer de direction et rouler au centre de la chambre. Il semble bien s'amuser. Elle peut s'imaginer combien ce doit être ennuyeux d'être enfermé dans une petite cage jour après jour.

Il va et il vient en profitant de sa nouvelle liberté. Il explore la chambre en roulant sous le lit d'Abby, puis sous son bureau. Rachel a dû lui porter secours à une occasion quand il est resté pris dans un coin.

–Allez, finit par dire Abby, qui devient impatiente.

Pour quelqu'un qui est censé ne pas aimer les hamsters, Rachel a plutôt l'air de s'amuser avec M. Nibbles.

–Il va être en sécurité ici. Allons faire des biscuits.

–Seulement si tu fais des biscuits aux doubles grains de chocolat, dit Rachel en suivant Abby qui sort par la porte.

Elles rient et elles parlent tout en traversant le long corridor qui mène à la cuisine.

Abby est en train de sortir la dernière fournée de biscuits quand Tess arrive à la maison. Elle s'amène dans la cuisine en reniflant bruyamment.

–Mmmmm!... des biscuits aux grains de chocolat!

Tess se laisse guider par son nez jusqu'aux biscuits qui reposent sur la table.

–Je peux en prendre un?

Abby et Rachel se regardent avec un grand sourire. Elles ne comptent plus les biscuits qu'elles ont déjà dévorés. Abby s'est même brûlé la langue en essayant d'en manger un qui sortait du four. Sa mère n'approuverait pas si elle était au courant, mais elle a passé l'après-midi dans son atelier à peiner sur une toile.

–Bien sûr, sers-toi, répond Abby. On allait justement préparer une assiette pour maman.

Tess fourre deux biscuits dans sa bouche et se précipite devant Abby et Rachel.

–Je suis arrivée, crie-t-elle en aboyant joyeusement et en ouvrant brusquement la porte de l'atelier.

Les plus grandes s'amènent lentement derrière elle. Le temps qu'elles pénètrent dans l'atelier, Tess est déjà en train d'aider sa mère à nettoyer ses pinceaux.

–On a fait de la pâtisserie, dit Abby en balançant un plateau de biscuits et de jus devant elle.

–Bonjour, les filles, dit sa mère. J'avais cru sentir quelque chose de délicieux.

–Moi aussi, ajoute Tess en gloussant.

Elle renifle une fois de plus.

–Tu t'es bien amusée chez Miki ? demande sa mère en riant.

Tess halète gaiement.

–On a joué au cirque et on a fait un défilé et on s'est déguisés et on a mangé des carottes et des pommes et on a regardé des dessins animés et…

–Goûtes-en un, interrompt Abby en tenant le plateau devant sa mère.

Tess peut parler pour ne rien dire pendant des heures. Pendant qu'ils sont encore chauds.

Sa mère mord dans un biscuit et essuie une miette sur sa lèvre.

–Délectable, comme d'habitude, dit-elle avec un sourire. Ça me fait toujours plaisir quand tu fais de la pâtisserie avec Rachel.

–Moi aussi, dit Rachel. Mais je dois y aller maintenant.

Elle regarde Abby.

–J'ai besoin du ballon.

–Vous avez joué au ballon ? demande Tess. Je veux jouer, moi aussi.

–Ce n'est pas ce genre de ballon là, explique Abby. C'est un ballon d'exercice pour M. Nibbles. Il est dedans en ce moment, en train de le faire rouler autour de la chambre.

–Ouah ! fait Tess avec excitation. Je veux voir !

Elles laissent les biscuits à leur mère et se rendent dans la chambre. Tess fonce devant elles. Abby et Rachel sont presque arrivées lorsqu'elles entendent un bruit terrible. Alarmées, elles font les derniers pas en courant. Tess hurle à côté de la cage vide.

–Qu'y a-t-il ? demande Abby.

–Il est parti, gémit Tess. Vous avez perdu M. Nibbles !

–Arrête de faire ce bruit épouvantable, Tess, dit Abby en soupirant. M. Nibbles n'est pas perdu. Je te l'ai dit, il est dans le ballon d'exercice de Rachel.

–Tu as promis que tu t'occuperais de lui pendant que je serais chez Miki ! crie Tess. Je t'avais dit qu'il ne se sentait pas bien aujourd'hui.

–Mais je me suis occupée de lui, réplique Abby. M. Nibbles va très bien. Il aime beaucoup le ballon d'exercice. Et il ne peut pas se perdre dedans. C'est absolument impossible.

Tess cesse de hurler. Elle regarde autour de la chambre, les larmes aux yeux.

–Alors, où est-il ?

12 Une partie de cache-cache

–Bonne question, se dit Abby. Où peut bien être M. Nibbles ?

Elle regarde autour de la chambre, mais il n'y a pas la moindre trace du ballon de plastique. Elle jette un regard à Rachel, qui hausse les épaules.

–Eh bien ! dit Abby en cherchant une explication. Il doit avoir roulé dans un endroit caché, c'est tout. On va devoir le chercher. Mais, se dépêche-t-elle d'ajouter avant que Tess ne se remette à hurler, il n'est certainement pas perdu.

–Il se cache ? demande Tess en essuyant son nez sur sa manche.

–C'est sûr, intervient Rachel. Il joue à cache-cache. Il a trouvé une cachette et on est censées le trouver.

Tess est égayée par cette possibilité.

–C'est un jeu ? demande-t-elle.

–Eh oui ! répond Abby. Veux-tu jouer ? La première qui le trouve gagne.

–Je vais gagner, affirme Tess dont la bonne humeur revient, parce que je vais me

servir de mon odorat super développé, comme avec les biscuits.

Mais M. Nibbles a disparu. Même Tess, qui se promène sur le bout des pieds avec le nez en l'air, ne parvient pas à le trouver. Elles regardent en dessous du lit, derrière le coffre à jouets, sous le bureau et derrière la porte de la chambre.

Pas de hamster.

Abby vérifie dans la penderie, mais elle ne voit qu'un tas de linge sale.

– Voilà qui explique comment Tess arrive à ramasser ses choses aussi rapidement, se dit-elle.

Elle aurait dû s'en douter. Tess ne met jamais son linge sale dans le panier. C'est à croire qu'elle est allergique à la lessive.

Elle retourne dans la chambre. Malgré ses paroles rassurantes pour Tess, elle commence à s'inquiéter.

–Tess, la porte de la chambre était-elle fermée quand tu es entrée ? demande-t-elle.

Tess réfléchit une minute. Puis elle secoue la tête.

–Non.

Abby et Rachel s'échangent des regards.

–On ferait peut-être mieux de chercher dans tout l'appartement, dit Abby.

Elles fouillent l'appartement de fond en comble à la recherche de M. Nibbles. Abby va dans la chambre de ses parents tandis que Rachel cherche dans la cuisine. Elles passent dix minutes ensemble dans la salle de séjour à vérifier la moindre cachette possible. Elles fouillent même le placard de l'entrée. Abby va jusqu'à ouvrir la porte d'entrée de l'appartement afin de regarder à l'extérieur.

Se fiant toujours à son nez, Tess regarde dans le réfrigérateur, sous le paillasson et dans la baignoire.

Toujours pas de hamster.

–Il faut vraiment que j'y aille, finit par dire Rachel. Je passerai prendre le ballon d'exercice plus tard, j'imagine.

–Je suis désolée, dit Abby. Je vais te le trouver. Ne t'en fais pas.

Elle s'efforce de sourire d'un air assuré tandis qu'elle ferme la porte derrière Rachel.

Abby et Tess fouillent l'appartement pour une deuxième fois. Lorsqu'elles en ont fait le tour, Tess regarde Abby avec les larmes aux yeux.

–Il est perdu maintenant, pas vrai ?

–Eh bien, en quelque sorte ! avoue Abby. À vrai dire, il est plutôt égaré. Il est ici quelque part ; il s'agit seulement de le trouver. C'est dommage qu'on ne puisse pas le siffler comme avec un petit chien.

Tess se frotte les yeux. Elle semble vouloir se remettre à pleurer.

–Je savais bien qu'il n'était pas dans son assiette aujourd'hui.

–M. Nibbles est en parfaite santé, la rassure Abby. Je ne sais pas pourquoi tu passes ton temps à dire qu'il ne l'est pas.

–Il est malade. Je le sais, dit Tess en pleurant. J'aurais dû rester à la maison.

Abby lui tapote le bras.

–Ce n'est pas ta faute, Tess, dit-elle.

–Je le sais, dit Tess, en lançant un regard furieux à Abby. C'est ta faute. Et la faute de Rachel aussi.

Abby ouvre la bouche afin de protester, puis elle la referme. Il y a du vrai dans ce que dit Tess. Elle n'aurait pas dû laisser M. Nibbles sans surveillance, même s'il est bien dans un ballon d'exercice. Mais Rachel lui avait accordé trop d'attention. Elle était venue pour s'amuser avec Abby, après tout, et non avec le hamster.

–Écoute, dit Abby. Il n'est absolument pas en danger. Il ne peut pas se blesser. Il va simplement rester là où il est jusqu'à ce qu'on le trouve. Il n'y a pas de quoi en faire un drame.

Une pensée atroce lui vient tout à coup à l'esprit. Et si la trappe s'était ouverte toute seule ? Si c'est ce qui est arrivé, M. Nibbles peut être n'importe où !

–Mais il est perdu, crie Tess, en écarquillant encore davantage les yeux. Et effrayé et malade. Pauvre M. Nibbles !

–Puisque je t'ai dit qu'il n'est pas malade… commence Abby.

Mais Tess ne veut rien entendre. Elle

rejette la tête en arrière et se met à hurler. Le son lugubre bondit sur les murs et incite leur mère à s'amener en courant.

–Que se passe-t-il ? s'écrie-t-elle.

–Abby a égaré M. Nibbles, gémit Tess. Il est parti pour toujours !

–C'est vrai ? demande sa mère en regardant sa grande fille.

Abby se mord la lèvre.

–Eh bien, pas vraiment ! Après tout, il n'est pas parti pour toujours. Il est quelque part dans l'appartement. Il s'agit simplement de le trouver.

Sa mère jette un coup d'œil sur la cage.

–Il s'est enfui ? demande-t-elle.

–Pas exactement, répond Abby lentement. Euh ! C'est plutôt moi qui l'ai laissé partir.

13 Une lueur verte fantomatique

–Il n'est pas en train de courir partout en liberté, se dépêche d'expliquer Abby. Il est dans le ballon d'exercice de Rachel. Il ne peut pas en sortir et rien ne peut le blesser.

Elle essaie de chasser l'image de la trappe qui s'ouvre brusquement.

Sa mère lève un sourcil.

–Alors, où est-il maintenant ? demande-t-elle.

Abby ne sait pas où se mettre sous le regard de sa mère.

–Eh bien, c'est ça le problème ! répond-elle. Je l'ai laissé seul pendant que je faisais des biscuits avec Rachel. Je ne pensais pas qu'il irait bien loin.

–Je vois, dit sa mère.

Elle n'ajoute rien d'autre, mais Abby sait ce qu'elle pense. Une gardienne d'animaux responsable ne laisserait pas un hamster dans un ballon pour aller faire des biscuits. Abby essaie de réfléchir.

–Les hamsters sont des animaux nocturnes, n'est-ce pas ? Alors, il doit être en train de dormir quelque part. Il va se réveiller bientôt et se remettre à rouler partout à la recherche de nourriture. On entendra le bruit, puis on le trouvera. Il n'y a donc pas de problème.

Abby espère qu'elle est convaincante.

–Pauvre M. Nibbles affamé, dit Tess en reniflant.

Elle enfouit sa tête dans l'épaule de sa mère.

–J'espère que tu as raison, Abby, dit sa mère en tenant Tess dans ses bras. Parce que tu as fait une promesse à Desmond Brewster.

La gorge d'Abby se serre. Elle a promis à Desmond que M. Nibbles ne s'échapperait pas. Et il ne l'a pas fait, pas vraiment. Il est seulement... égaré.

Avec l'aide de leur mère, elles fouillent l'appartement encore une fois. Leur père revient de son travail à temps pour les aider à déplacer le canapé dans la salle de séjour afin de regarder derrière. Il a même sorti la table de télévision du coin afin de permettre à Tess de vérifier si le ballon ne serait pas resté pris dans les fils et les câbles. M. Nibbles est introuvable.

Leur mère décide finalement qu'il est temps de préparer le souper. Le repas est silencieux ce soir. Tess mange du bout des dents en essuyant de temps en temps une larme du revers de la main. Abby s'en veut terriblement.

Tandis qu'elles se brossent les dents avant de se mettre au lit, Abby tente de faire entendre raison à Tess.

–Il n'est pas parti, dit-elle pour la dixième fois, en voulant se croire elle-même. On va le trouver. Je te le promets.

–Tu as promis à l'homme-bourdon que M. Nibbles ne se perdrait pas, l'accuse Tess. Je ne te crois plus.

–Il est tout à fait en sécurité, dit Abby, exaspérée.

Tess agit comme si elle était la seule à se soucier de M. Nibbles. Elle ne s'aperçoit pas qu'Abby s'en veut, elle aussi ?

Mais Tess refuse d'écouter. Elle sort de la salle de bains à toute allure et Abby entend la porte de leur penderie claquer. Abby grogne. Tess va toujours se cacher dans la penderie de la chambre quand elle est contrariée.

Abby la suit lentement. Une fois dans le couloir, elle hésite entre leur chambre et l'atelier. Devrait-elle aller en discuter avec sa mère ? Cela lui ferait tellement de bien de tout raconter à

quelqu'un. Mais en ce moment, Tess a besoin d'être réconfortée, elle aussi. Après tout, c'est bien sa faute toute cette histoire. Elle entre dans la chambre.

–Tess ? crie-t-elle à travers la porte de la penderie.

–Va-t'en.

–Je veux te parler, dit Abby. S'il te plaît ?

–Il n'est pas question que je sorte, répond Tess en hoquetant.

Abby réfléchit un instant.

–Alors, je peux entrer ?

Il y a une pause, puis un tout petit :

–D'accord.

Abby entrouvre la porte de la penderie et pénètre dans la noirceur. C'est tout juste si elle peut bouger. Il y a des jeux de société et des animaux en peluche ainsi qu'une vieille poussette de poupée sur lesquels s'accumulent les trucs que Tess a jetés en faisant semblant de ranger la chambre. Et il y a son linge sale, qui s'accumule à l'intérieur de la porte.

Abby marche sur le tas de vêtements et se fait une petite place à côté de Tess. Elles sont assises l'une contre l'autre. La penderie est juste assez large pour contenir les cintres métalliques sur lesquels sont suspendues leurs jupes et leurs robes.

–C'est pas mal à l'envers, ici, dit Abby.

Elle distingue à peine les traits de Tess. Elle regarde droit devant elle.

Tess se croise les bras sur la poitrine.

–Tu as oublié de fermer la porte, dit-elle.

–Désolée.

Abby se lève et remonte sur le tas de linge sale. Elle saisit la poignée de la porte et la ferme en tirant. La penderie est instantanément plongée dans la noirceur la plus totale. En tenant ses mains devant son visage comme un bouclier, Abby retourne près de Tess en trébuchant.

–On va le trouver, M. Nibbles, dit-elle en essayant de camoufler l'irritation dans sa voix.

–C'est vrai ? murmure Tess.

Abby fait signe que oui, puis elle se rend

compte que Tess ne peut pas la voir.

–Je te le promets. Et je suis sérieuse, cette fois-ci.

–Mais tu ne l'aimes même pas. Je pense que tu l'as laissé s'échapper par exprès.

Abby réfléchit pendant un moment.

–Ce n'est pas que je ne l'aime pas, tente-t-elle d'expliquer. C'est lui qui ne m'aime pas. Il ne veut pas que je l'approche. Je crois que ça m'a fait de la peine, tu vois ? Mais je n'ai pas fait exprès de le perdre. Je ne ferais pas ça.

–Ah non ?

–Bien sûr que non, répond Abby d'un ton ferme. On va le chercher encore dès qu'on sera levées demain. Ne t'inquiète pas, d'accord ?

Au moment où elle essaie de se lever, Tess s'agrippe à son bras. Abby se rassoit brusquement.

–Hé ! Ça fait mal…

–Chut ! siffle Tess dans son oreille. Regarde !

Abby scrute l'intérieur de la penderie, mais elle ne voit que du noir. Puis elle aperçoit un vacillement au ras du sol, à quelques mètres devant elle. C'est une lueur verte fantomatique.

Abby cligne des yeux. La lueur vacille de nouveau. Puis elle disparaît.

14 Une découverte étonnante

–Qu'est-ce que c'est ? murmure Tess d'une voix tremblotante.

Abby n'en a pas la moindre idée. C'est insensé. Qu'est-ce qui pourrait bien luire comme cela dans la penderie de leur chambre ? Son cœur fait un bruit sourd dans sa poitrine.

La lumière étrange luit de nouveau, si faiblement qu'Abby se demande si ses yeux ne lui jouent pas des tours. La lumière lui fait penser à quelque chose qu'elle a déjà vu, mais elle ne sait pas quoi exactement.

–J'ai peur, gémit Tess.

Elle serre davantage le bras d'Abby.

Abby est un peu effrayée, elle aussi, mais elle ne veut pas que Tess le sache.

–Je suis sûre que ce n'est rien, dit-elle

d'une voix forte. Regarde, je vais te le prouver.

En prenant son courage à deux mains, Abby rampe vers le linge sale en gardant ses yeux fixés sur l'endroit où elle a aperçu la lumière mystérieuse.

Elle n'est plus là.

Elle se lève et ouvre tout grand la porte. La lumière de la chambre entre à flots dans la penderie.

– Tu vois, dit-elle, secrètement soulagée. Il n'y a rien.

– Mais…

Tess n'est pas convaincue.

Abby s'agenouille près de l'endroit où elles ont aperçu la lueur étrange. Maintenant que la penderie est inondée de lumière, il serait ridicule d'avoir peur. Elle lance les bas sales et les jeans froissés sur le plancher de la chambre.

– Puisque je te dis qu'il n'y a rien, affirme-t-elle. C'était probablement un reflet ou une illusion d'optique ou…

Elle ne termine pas sa phrase.

Qu'y a-t-il ? demande Tess en glapissant de peur.

– Ce n'est pas vrai ! s'écrie Abby doucement.

Elle regarde Tess avec une drôle d'expression.

–Il faut que tu voies ça.

Tess refuse de bouger.

–C'est un fantôme ?

Abby secoue la tête.

–Non, répond-elle. Loin de là. J'ai trouvé M. Nibbles. Et ce n'est pas tout.

–M. Nibbles ? demande Tess en rampant. Tu l'as trouvé ? Mais la lueur...

–Tu ne le croiras jamais, dit Abby. Jamais de la vie.

Se serrant contre Abby afin de se sentir plus en sécurité, Tess regarde prudemment dans le tas de linge sale d'un air interrogateur.

Le ballon d'exercice de Rachel est à moitié recouvert d'un chandail bleu froissé et du t-shirt préféré de Tess qui est à l'envers. M. Nibbles est à l'intérieur du ballon. Il lève les yeux et dévisage

Abby et Tess à travers le plastique transparent. Le collier antipuces autour de son cou ne brille plus. Des petits corps roses couchés en boule gigotent autour de lui.

M. Nibbles a eu des petits !

15 Plus on est de fous, plus on rit

–Des bébés ! s'écrie Tess.

–On dit des petits, reprend Abby d'une voix essoufflée.

Tess semble indécise.

–Comment est-ce possible ? M. Nibbles est un…

–Une femelle, termine Abby, arborant progressivement un large sourire. M. Nibbles est en réalité Mme Nibbles !

Tess s'approche petit à petit, mais Abby la retient.

–Doucement, Tess. Il ne faut pas déranger les petits, car M. Nibbles, ou plutôt Mme Nibbles pourrait les rejeter.

Tess semble perplexe.

–Quand les petits hamsters sont touchés par des humains, il arrive parfois que leur mère ne veuille plus d'eux, explique Abby. Je crois que c'est à cause de leur odeur. On ferait mieux d'avertir maman et papa.

Elles trouvent leurs parents en train de se détendre en regardant la télévision.

–M. Nibbles est une maman, explique

Tess en se jetant sur sa mère.

Elle aboie joyeusement.

–Il a des bébés !

Sa mère semble déroutée.

–Quoi ?

Abby affiche un large sourire et fait un signe de tête affirmatif.

–C'est vrai. Il y a toute une ribambelle de petits dans la penderie de notre chambre.

–Des petits ? Dans votre penderie ?

Leur père semble stupéfait. Abby et Tess entraînent leurs parents dans le couloir.

–Il faut que vous veniez voir ça, dit Abby en riant.

Sa mère prend une grande inspiration en voyant le ballon d'exercice rempli de bébés hamsters.

–Si on s'attendait à ça, dit-elle en jetant un coup d'œil furtif à son père.

–Ça par exemple, dit son père en s'agenouillant pour mieux voir. Que va-t-on en faire ?

–Ils peuvent habiter dans la penderie, suggère Tess gaiement. Je peux jeter mon linge sale sous mon lit à la place.

Sa mère lève un sourcil.

–C'est une suggestion intéressante, Tess, mais ils ne peuvent pas demeurer dans la penderie. En passant, il y a un panier à linge dans la salle de bains, tu sais.

–Ouais ! dit Abby à Tess. Si tu ne laissais pas tout traîner, le ballon d'exercice ne se serait pas resté coincé sous tes vêtements.

–Les petits seraient venus au monde quand même, dit sa mère en soupirant. Combien de temps faut-il attendre avant de les toucher ? demande-t-elle à Abby en se tournant vers elle.

Abby se précipite vers son étagère et retire *Le Guide complet sur le hamster* de la tablette du bas.

–J'ai lu quelque chose là-dessus, dit-elle en feuilletant le livre. J'y suis. On dit que les petits ne doivent pas être dérangés pendant deux semaines, sinon ils risquent d'être rejetés par leur mère.

–Deux semaines ! dit Tess avec un cri de joie.

Elle court partout dans la chambre dans une frénésie canine.

–Hourra ! Hourra !

–Tess, assis ! ordonne sa mère.

Tess s'assoit docilement sur le bord de son lit. Elle dévisage sa mère en haletant avec espoir.

–M. Nibbles... peu importe comment elle s'appelle, ne peut pas rester dans la penderie pendant deux semaines. De toute façon, M. Brewster revient de vacances avant ça.

Abby a une idée.

–Pourquoi ne pas les laisser dans le ballon d'exercice ?

–Ta mère vient de dire qu'ils ne peuvent pas rester dans la penderie, Abby, dit son père en secouant la tête. C'est...

–Non, attendez, interrompt Abby. On pourrait mettre le ballon d'exercice dans la cage, non ? On n'aurait qu'à détacher le toit métallique de la base et à installer le ballon à l'intérieur. Ensuite, on pourrait remettre le toit et ouvrir la trappe afin que Mme Nibbles puisse entrer et sortir du ballon pour manger, etc. On n'aurait même pas à toucher aux petits et je les emmènerais à l'école après la semaine de relâche en même temps que Mme Nibbles. C'est parfait !

–On peut essayer, dit sa mère en souriant.

Abby et Tess enlèvent ensemble la roue d'exercice des barreaux de la cage. La cage est maintenant juste assez large pour contenir le ballon.

Sa mère ramasse le linge sale autour du ballon en lançant à Tess un regard lourd de sous-entendus. Tess se contente de sourire d'un air penaud.

Son père prend le ballon d'exercice en formant une coupe avec ses deux mains et le soulève en faisant attention de ne pas bousculer les nouveau-nés. Il transporte le ballon à travers la chambre en le maintenant fermement et le dépose en plein milieu de la cage.

Après avoir remis le toit métallique en place, Abby met la main à l'intérieur de la cage et déverrouille la trappe. Mme Nibbles peut désormais aller et venir à sa guise.

Tout le monde recule et attend de voir ce qui va se passer.

Mme Nibbles rampe jusqu'à la porte et en renifle les bords. Abby et Tess retiennent leur souffle. Sera-t-elle contrariée par leur odeur ? Elle renifle encore, puis elle semble se décider.

Elle rentre en trottinant dans la cage et prend un seul copeau de bois. Elle retourne vers ses petits en tenant le copeau dans sa gueule. Abby fait le dénombrement. Un, deux, trois... il y en a huit ! Ils se tortillent contre leur mère en recherchant avidement la chaleur qu'elle dégage.

Abby pousse un gros soupir de soulagement. La nouvelle maman fait son nid. Tout va bien aller. Mme Nibbles ne semble pas affectée par le déménagement. Cela va sans dire que Rachel n'est pas près de revoir son ballon d'exercice, mais elle comprendra une fois qu'Abby lui aura expliqué la situation. Et que vont penser Mme Hernandez et la classe quand elle va retourner à l'école la semaine prochaine avec une cage pleine de hamsters ?

Abby sourit rien qu'à y penser. Au lieu de garder un seul animal de compagnie pour la semaine, elle se retrouve maintenant avec toute une famille. C'est la meilleure relâche scolaire qu'elle a jamais connue.

–Et moi qui croyais que M. Nibbles avait tout simplement beaucoup de poils, dit-elle en riant.

16 Le retour à l'école

Abby trouve que les petits hamsters sont laids. Leur petit corps rose est dépourvu de poils et tout plissé. Leur peau est tellement mince qu'on peut voir leurs veines. Et ils sont aveugles, leurs yeux n'étant rien de plus que deux taches noires sous la peau.

Mais pendant la semaine de relâche, les petits grandissent et changent.

Cinq jours après leur naissance, leur poil commence à pousser. Rendus au dimanche, ils commencent à explorer l'intérieur du ballon d'exercice à l'aveuglette, en gardant leurs yeux bien fermés. Comme ils peuvent se déplacer, Abby décide qu'il est temps de sortir le ballon de la cage.

–Mme Nibbles t'aime de nouveau, remarque Tess.

–Ça me fait plaisir, dit Abby.

Mme Nibbles n'a pas grincé des dents et elle n'a pas poussé de petits cris aigus en regardant Abby depuis la naissance des petits. Sa mauvaise humeur a disparu.

Abby enlève le toit métallique de la cage

et le met de côté. Elle tourne doucement le ballon d'exercice jusqu'à ce que les petits et leur mère glissent par la trappe vers un tas de copeaux de bois mous. Elle met le ballon sur le plancher en plissant son nez. Après avoir abrité neuf hamsters, le ballon a besoin d'un bon nettoyage.

Abby se dépêche de remettre le toit de la cage en place.

–Tu sais, Tess, dit-elle après avoir terminé, il est écrit dans mon livre que le comportement étrange de Mme Nibbles est plutôt normal. Quand la femelle hamster porte des petits, elle devient de mauvaise humeur et elle protège son territoire. Je pensais que c'était simplement parce qu'elle me haïssait. Comment voulais-tu que je sache qu'elle attendait des petits ?

–Moi, je le savais, dit Tess.

–Tu ne le savais pas, proteste Abby. Personne ne le savait, pas même Mme Hernandez.

–Enfin, je ne savais peut-être pas qu'elle allait avoir des bébés, dit Tess en se grattant l'oreille. Mais je savais qu'elle ne se sentait pas bien. Je te l'avais dit.

Abby la dévisage.

–Ah ouais ?

–C’est vrai, crie Tess en donnant un coup de pied rapide sur le ballon d’exercice. Pourquoi est-ce que tu ne m’écoutes jamais ?

La colère de Tess étonne Abby. Pourquoi est-elle si vexée ? Elle en a même les larmes aux yeux.

–Que veux-tu dire ? Tu sais bien que je t’écoute.

Tess se jette à plat ventre sur son lit.

–Tu ne m’écoutes pas, réplique-t-elle en sanglotant dans son oreiller. Tu penses que je suis un petit bébé stupide et tu n’écoutes jamais ce que j’ai à dire.

–Oui, je t'écoute, réplique Abby. Ne sois pas ridicule.

–Tu vois ? gémit Tess.

Abby dévisage sa sœur. Elle a peut-être raison. A-t-elle été absorbée dernièrement au point d'ignorer les propos de Tess ? Elle passe la dernière semaine en revue.

Elle se souvient à quel point Tess avait été affolée le jour où M. Nibbles avait disparu. Elle avait mentionné quelque chose au sujet de l'état de santé du hamster. Mais Abby ne l'avait pas écoutée. Elle avait également demandé à Tess de montrer le papier d'autorisation à sa mère, mais elle l'avait ignorée de nouveau. Combien de fois avait-elle rejeté les suggestions de sa petite sœur ?

Abby s'assoit sur le lit. Elle met sa main sur l'épaule de Tess avec hésitation.

–Excuse-moi, dit-elle doucement. Je crois que je t'ai négligée. Il m'arrive parfois d'oublier que tu as de bonnes idées. C'est peut-être parce que tu es plus jeune que moi…

–Ce n'est pas parce que je suis petite que je suis stupide ! lance Tess en levant la tête de son oreiller.

Abby tapote le dos de Tess comme le fait parfois leur père quand elles ne sont pas dans leur assiette.

–Je sais. Tu es loin d'être stupide. Après tout, c'est toi qui as mis le collier antipuces phosphorescent au cou de Mme Nibbles. Sans ce collier, qui sait combien de temps il aurait fallu pour la trouver ? On aurait pu la chercher pendant des jours !

Tess renifle et s'assoit bien droite.

–C'était assez rusé, hein ?

–Absolument, répond Abby. Je dirais même que ton collier antipuces nous a épargné bien des ennuis.

–En effet, dit Tess, qui a retrouvé sa bonne humeur.

Elle sèche ses larmes et saute en bas de son lit.

–Je vais donner un morceau de carotte à Mme Nibbles.

Abby l'entend dévaler l'escalier en fredonnant un air discordant. Elle est toujours étonnée de voir avec quelle rapidité Tess se remet de ses chagrins. Quelques mots d'excuse ou une étreinte et ses peines s'évanouissent.

Cette fois-ci, Abby doit bien avouer que Tess avait raison d'être vexée.

Le lundi matin, il est temps de ramener Mme Nibbles à l'école avec sa famille. Les petits sont beaucoup moins fragiles après sept jours et Abby est certaine que le voyage ne leur nuira pas. Afin de les garder bien au chaud et en sécurité, elle enveloppe la cage d'une vieille serviette qu'elle attache avec une grosse épingle de sûreté.

Sur le chemin de l'école, Tess marche à côté d'Abby en se traînant les pieds. Elle regarde le trottoir fixement et ses épaules sont voûtées. Abby lui jette un coup d'œil et rit doucement dans sa barbe. Abby va s'ennuyer du hamster, elle aussi, mais une idée lui est venue à l'esprit la nuit dernière. Une merveilleuse idée. Elle a vraiment hâte d'arriver à l'école et de la tester.

Lorsque la cloche matinale sonne, Abby dit au revoir de la main à Tess et transporte la cage dans la classe. Elle prend soin de ne pas enlever la serviette.

Sa classe va avoir toute une surprise !

16 Une brillante idée

–Bon retour en classe ! dit gaiement Mme Hernandez en se dirigeant vers son bureau.

Elle compte rapidement les têtes et inscrit les présences sur sa feuille à l'aide d'un stylo.

–Je suis contente de constater que tout le monde est de retour. J'espère que vous avez tous pu profiter de la semaine de relâche.

Les bavardages et les rires fusent de toutes parts tandis que les élèves parlent tous en même temps du bon temps qu'ils ont eu pendant la relâche. Abby écoute le bruit autour d'elle, mais elle est trop excitée pour y prendre part. Elle tape du pied avec impatience. La classe va-t-elle commencer un jour ?

–Du calme, s'il vous plaît, dit enfin Mme Hernandez. Vous me raconterez vos vacances un peu plus tard. En ce moment, j'aimerais que notre gardienne d'animaux attitrée nous dise comment s'est comporté M. Nibbles dans son nouvel environnement. Abby ?

Abby prend une grande respiration. Le compte rendu va être amusant. Elle se lève et transporte la cage sur le bureau du professeur.

Elle la dépose doucement et se tourne face à la classe.

–Tout d'abord, dit-elle en s'efforçant d'être sérieuse, j'aimerais seulement vous dire que cette cage ne contient pas un hamster.

–Je parie qu'elle l'a perdu ! crie Dirk depuis la dernière rangée.

Mme Hernandez avertit Dirk et ses amis du regard, puis se tourne vers Abby.

–Il est arrivé quelque chose à M. Nibbles ? demande-t-elle en fronçant les sourcils.

Abby a du mal à garder son sérieux.

–Oui, dit-elle d'un ton solennel. J'ai bien peur que si.

La classe en a le souffle coupé.

–Cette cage ne contient pas un hamster, répète Abby en profitant de l'effet spectaculaire. Elle en contient neuf.

Cette fois-ci, la réaction est plus forte.

–Neuf ? s'écrie Zachary, le meilleur ami de Dirk. C'est un spectacle de magie ou quoi ?

–Ça suffit, Zachary ! dit Mme Hernandez. Abby, explique-toi s'il te plaît.

Étirant le moment, Abby détache la serviette et l'enlève d'un geste théâtral.

–Oh mon Dieu ! dit Mme Hernandez faiblement.

12
× 4
48

–M. Nibbles est une femelle, lâche Abby. Et elle a eu huit petits la semaine dernière. Ils sont assez mignons maintenant, mais vous auriez dû les voir quand ils sont venus au monde !

Toute la classe veut voir. Les étudiants s'attroupent autour d'Abby et de la cage en jouant des coudes pour s'approcher davantage.

–Mme Nibbles a mis bas dans le ballon d'exercice, affirme fièrement Rachel.

Elle lève le pouce en signe d'encouragement à Abby.

–Je n'aurais jamais cru que c'était une femelle, murmure Mme Hernandez.

Abby a fait quelques recherches. Elle s'éclaircit la voix d'un air important.

–La période de gestation des hamsters « nounours » est de seize jours. Ce qui signifie qu'il faut compter seize jours avant que les bébés soient prêts à venir au monde. Donc, Mme Nibbles portait déjà ses petits lorsqu'elle est arrivée parmi nous.

Abby regarde autour d'elle pour voir si quelqu'un l'écoute.

–Il y avait plusieurs indices sur son état, poursuit-elle. D'abord, elle était vraiment potelée.

Abby songe à Tess.

–Quelqu'un m'a dit qu'elle était grosse, mais je ne l'ai pas écouté. Son appétit était un deuxième indice. Elle mangeait sans arrêt. Plus elle engraissait, plus elle semblait affamée. Le dernier indice, c'était sa personnalité. Lorsqu'elle est venue habiter chez moi, je lui suis devenue subitement antipathique. Elle ne voulait plus que je la touche. Ce n'était plus le même hamster.

Abby s'arrête pour retrouver son souffle et lève un visage rayonnant vers la classe.

–Par conséquent, nous avons maintenant des tas d'animaux de compagnie.

Il y a des élèves qui applaudissent et qui poussent des hourras. Mme Hernandez secoue la tête, stupéfaite.

–Eh bien, je dois dire que c'est réellement inattendu ! Je suis bien heureuse de constater que notre animal de compagnie a passé la semaine de relâche dans d'aussi bonnes mains. Je ne sais pas comment nous pouvons te remercier.

Abby affiche un large sourire. Elle espérait que Mme Hernandez lui dirait cela. Elle se penche en avant et chuchote quelque chose dans l'oreille de son professeur. Après un moment, Mme Hernandez signifie son accord d'un signe de tête.

Abby garde son secret toute la journée. Après le dernier son de cloche, elle met ses devoirs dans son sac à dos et va rejoindre sa sœur à l'extérieur. Tess se tient près du mât qui porte le drapeau. Elle a encore son air de chien battu du matin. Abby lui sourit.

–Salut Tess, quelle sorte de journée as-tu eue ?

–Plutôt normale, répond Tess en haussant les épaules. Ils ont aimé tes hamsters ?

–Oui, répond Abby. Ils n'en croyaient pas leurs yeux quand j'ai retiré la serviette. C'était génial.

–Formidable, dit Tess avec apathie.

Elles se mettent à marcher.

–Dommage que M. Brewster soit de retour, dit Abby innocemment. Desmond nous aurait probablement laissées garder un des petits.

–Ouais ! dit Tess, qui semble encore plus triste.

–À défaut d'avoir un animal de compagnie à la maison, le mieux serait d'en avoir un dans la classe, dit Abby en haussant les épaules. Tu ne penses pas ?

Tess fait un signe affirmatif de la tête, mais elle ne parle pas. Abby a du mal à se retenir.

–Alors, lequel penses-tu choisir ?

Tess s'arrête et dévisage Abby.

–Hein ?

Abby s'arrête aussi, en faisant semblant de ne pas remarquer la confusion de Tess.

–Lequel penses-tu choisir ? répète-t-elle. Je parie que tu vas prendre le brun foncé. D'après moi, c'est celui qui va avoir le plus de fourrure. Mais tu aimerais peut-être mieux celui aux pattes blanches de couleur crème. De toute façon, c'est à toi de choisir.

–De quoi parles-tu ? demande Tess.

Elle dévisage sa sœur comme si elle venait subitement de perdre la boule. Abby rit tout haut.

–Je savais combien tu allais t'ennuyer des hamsters sur ta commode, alors j'ai discuté avec Mme Hernandez. Elle trouve que c'est une bonne idée que ta classe ait son propre animal de compagnie, elle aussi. Et comme c'est surtout toi qui as pris soin du hamster de ma classe, j'ai pensé que ça devrait être à toi de choisir. Tu peux le nommer aussi.

–C'est fantastique, murmure Tess. Elle commence à comprendre où Abby veut en venir. C'est vrai ?

–Bien sûr. Sauf que les petits sont encore

trop jeunes pour être séparés de leur mère. Il faut attendre encore deux semaines. Mais ça va vous donner le temps de recueillir des dons pour une cage, de la nourriture et des trucs comme ça.

Tess pousse un joyeux jappement et se jette sur sa grande sœur. Abby tente d'esquiver ses becs mouillés de toutou en riant. Finalement, elle serre rapidement Tess dans ses bras en regardant autour du terrain de jeu afin de s'assurer que personne ne les voit.

Elles reprennent le chemin du retour, mais, cette fois-ci, Tess marche avec entrain. Elle aboie gaiement après toutes les personnes qu'elles croisent. Elles sont pratiquement à la porte de leur immeuble à logements lorsque Tess s'arrête brusquement.

–J'ai encore un problème, dit-elle en gloussant.

–Quoi? demande Abby, perplexe. Tout s'est pourtant bien terminé.

Tess penche la tête de côté et dévisage sa sœur.

–Je ne saurai pas s'il faut l'appeler Henry ou Henriette!